Writing No

with regular double lines

Aa Bb Cc Dd Ee Ff Gg Hh Ii

Jj Kk Ll Mm Nn Oo Pp Qq

Rr Ss Tt Uu Vv Ww Xx Yy Zz

Aa Bb Cc Dd Ee Ff Gg Hh Ii

Jj Kk Ll Mm Nn Oo Pp Qq

Rr Ss Tt Uu Vv Ww Xx Yy Zz